TUSEN ÅR VED NIDELVEN
TRONDHEIM
A THOUSAND YEARS OF HISTORY

Tekst/Text:
Svein Nic. Norberg

Hovedfotograf/Main photographer:
Ole Petter Rørvik

Redaksjon/Editorial commitee:
Bjørn Østraat, Ole Petter Rørvik,
Knut Lysklett, Svein Nic. Norberg

Lay-out:
Bjørn Østraat

Grafisk produksjon/Graphic production: Reklamebyrået Cicignon AS

Oversetting/Translation: Lillehammer Oversettingsbyrå

Repro: Trondheim Repro

Trykk/Printing: Lade Offset

Aune

INNHOLD

CONTENTS

ELVA, KONGEN OG BYEN

"Kong Olav drog med hæren sin til Nidaros. Der lot han bygge hus ved Nidelv, og han ordnet det slik at det skulle være kjøpstad der. Han gav folk tomter til å bygge hus på, og han lot bygge kongsgård opp ved Skipakrok. Om høsten lot han føre dit alt han trengte av kost og annet for vinteren. Han hadde en mengde folk hos seg".

Det har rent mye vann i Nidelva i løpet av de tusen årene som har gått siden Olav Tryggvason, ifølge sagaskriveren Snorre Sturlason, grunnla kjøpstad ved utløpet av Nidelva. Tusen år til tross, fremdeles slynger elva seg like rolig og dovent på sin vei mot fjorden.

Fra Trondheims urinnbyggere satte opp sine enkle trehus på elvebrinken og helt frem til vår tid, har generasjonene – på samme måte som elva – rent over i hverandre i et tusenårig spenn av tid. Og byen de bygde gjennom århundrene, ja, den er der ennå. Lik vannets myke dynamikk er byen blitt formet fra generasjon til generasjon – til byen Trondheim slik vi ser den idag.

Dagens Trondheim fremstår som en moderne og travel by. Men, kjenner du godt etter, fornemmer du det nesten umerkelige, magiske draget i lufta av historie, sammenheng og tradisjon som fyller Trondheims bymiljø.

Vikingkongen Olav Tryggvason la ikke kaupangen til munningen av Nidelva av ren tilfeldighet. I grålysningen av Norges historie ble dette området betraktet som landets økonomiske, politiske, militære og religiøse maktsentrum med kult- og jarlesetet på Lade som tyngdepunkt. Olav Tryggvasons valg om å slå seg ned i Nidaros var gjort med omhu. Ut fra strategiske grunner ville han trygge sin posisjon som Norges konge.

Trondheims sentrale plass i norsk historie generelt, og byens posisjon som landets religiøse sentrum spesielt, gjør Trondheims tusenårsfeiring i 1997 til en begivenhet som har interesse langt utenfor byen og landsdelen. Trondheims store jubileum i 1997 er en hendelse som kan bidra til å styrke hele nasjonens identitetsfølelse, fordi den historiske dimensjon her blir et bindeledd mellom fortid, nåtid og fremtid.

THE RIVER, THE KING AND THE CITY

"King Olav set off with his men to Nidaros. On arrival, he let there be built houses near Nidelva river and decided that this place would become a market town. People were granted plots of land to build houses, and a King's estate was built at Skipakrok. In the autumn, everything King Olav needed in preparation for the winter was brought to his estate. There were a great many people working for him".

A thousand years of water has flowed through Nidelva river since Olav Tryggvason, according to the Icelandic saga poet Snorre Sturlason, founded the market town near the outlet of Nidelva river. But despite a thousand years, the river still winds its way just as lazily on its way out toward the fjord.

Since the time when Trondheim's original inhabitants erected their simple wooden houses on the banks of the river over a thousand years ago, generation after generation has added their own characteristic touch to the cityscape. And just as the water's soft dynamics leave a trace over time, so has each proceeding generation. And the city they helped build is as busy and vibrant as ever.

Today's Trondheim is a modern, bustling city. Yet you can still sense the unmistakable mystical aura of history and tradition filling Trondheim's urban environment.

The Viking king Olav Tryggvason did not found a market town at the mouth of Nidelva River by shear coincidence. In the dawn of Norwegian history, this area was considered the country's cultural, financial, political, military and religious nexus. Olav Tryggvason's choice of settling at Nidaros was part of a strategic plan: he wanted to secure his position as King of Norway.

Trondheim's pivotal role in Norwegian history in general, and the city's position as the country's religious focal point in specific, make the celebration of Trondheim's 1000-year anniversary in 1997 a truly national event. Trondheim's anniversary celebration in 1997 is an event which can contribute to strengthening the nation's feeling of identity, because the historic dimension here spans across the nation's past, present and future.

A HISTORY OF CHANGE
1000 years of urban life

*T*rondheims grunnlegger, Olav Tryggvason, skuer utover byen og fjorden fra sin sokkel på Torvet.
Monumentet er laget av billed-kunstneren Wilhelm Rasmussen og ble avduket i 1921.
Sokkelen med statuen utgjør "viseren" i det som regnes som verdens største solur.

*T*rondheim's founding father, Olav Tryggvason, looks out across the city and fjord from his pedestal at Torvet (market square).

The monument is the work of sculptor Wilhelm Rasmussen and was unveiled in 1921. The pedestal and statue function as a gnomon for what is believed to be the world's largest sundial.

Olav den Hellige, relieff av billedhoggeren Nic. Schiøll fra St. Olavs portal på Nidaros-domens nordre vegg.

Saint Olav, relief by the sculptor Nic. Schiøll at the northern entrance to Nidaros Cathedral.

Olav Tryggvasons saga

70. Kong Olav drog med hæren til Nidaros. Der lot han bygge hus på bakken ved Nidelv, og han ordnet det slik at det skulle være kjøpstad der. Han gav folk tomter til å bygge seg hus på, og så lot han bygge kongsgård oppe ved Skipakrok*. Om høsten lot han føre dit alt det han trengte av kost og annet til vinteren. Han hadde en mengde folk hos seg.

Faksimile fra Olav Tryggvasons saga om hvordan Nidaros ble grunnlagt i 997. Sagaen er skrevet av islendingen Snorre Sturlason.

Facsimile of Olav Tryggvason's saga about how Nidaros was founded in the year 997. The saga was written by the Islander Snorre Sturlason.

Spelet om Heilag Olav har vært fremført på friluftsscenen på Stiklestad hver Olsok siden 1954. "Spelet" samler rundt 20 000 mennesker på fire opp-setninger.

The historical play about Saint Olav has been performed at the Stiklestad open-air theatre each St. Olav's Day (29 July) since 1954. The performance attracts about 20 000 people to the four performances.

På slutten av 1200-tallet hadde Trondheim rundt 3000 innbyggere. Tegningen viser hvordan arkeologene tenker seg at byen så ut ca 1250.

By the end of the 13th century, the population of Trondheim was about 3000. The drawing shows how archaeologists believe the city looked around the year 1250.

Kors av metall funnet under utgravingene i Erkebispegården.

Metal cross uncovered during excavations at the Archbishop's palace.

Etter katastrofebrannen ved Erkebispegården i 1983, har det foregått omfattende arkeologiske utgravninger. Lag for lag har fortiden blitt avdekket, og ny og verdifull viten er blitt tilført Trondheims og Norges historie. Det store funnmaterialet viser at det i Erkebispegården har foregått en mangfoldig og omfattende aktivitet ned gjennom århundrene. Blant annet er det avdekket rester av en våpensmie fra 1500-tallet, en 13 meter lang dam for oppdrett av karpefisk, og myntslagerverksted (bildet) fra sent på 1500-tallet.

Dessuten finnes det også skriftlige beretninger fra middelalderens liv i Erkebispegården. I 1432 var den italienske adelsmannen og sjøfareren Pietro Querini på vei hjem til Italia etter å ha forlist ved øya Røst i Nordland. På vei sørover var han noen dager i Trondheim som erkebiskopens (Aslak Bolt) gjest. Querini forteller i sin beretning om oppholdet i Trondheim at han blant annet var inne i et hus i Erkebispegården der hvite jaktfalker satt i fangenskap.

After the catastrophic fire at the Archbishop's palace in 1983, an extensive archaeological excavation was conducted. Layer for layer was scraped from the past, revealing new and valuable information about Trondheim and Norwegian history. The largest finds show that a wide range of activities took place down through the ages at the Archbishop's palace. Among the discoveries were remnants from a 16th century weapons smithy, a 13-metre dam used to breed carp and a late-16th century workshop for minting coins (photo).

A number of written sources from the Middle Ages exist describing life at the Archbishop's palace. In 1432, the Italian nobleman and seafarer Pietro Querini was on his way home to Italy after having been shipwrecked on the island Røst in Nordland county. On his southward journey, he stayed a few days in Trondheim as the guest of the Archbishop Aslak Bolt. About his stay in Trondheim, Mr. Querini writes that among other things in one of the houses at the Archbishop's palace there were caged, white gerfalcon.

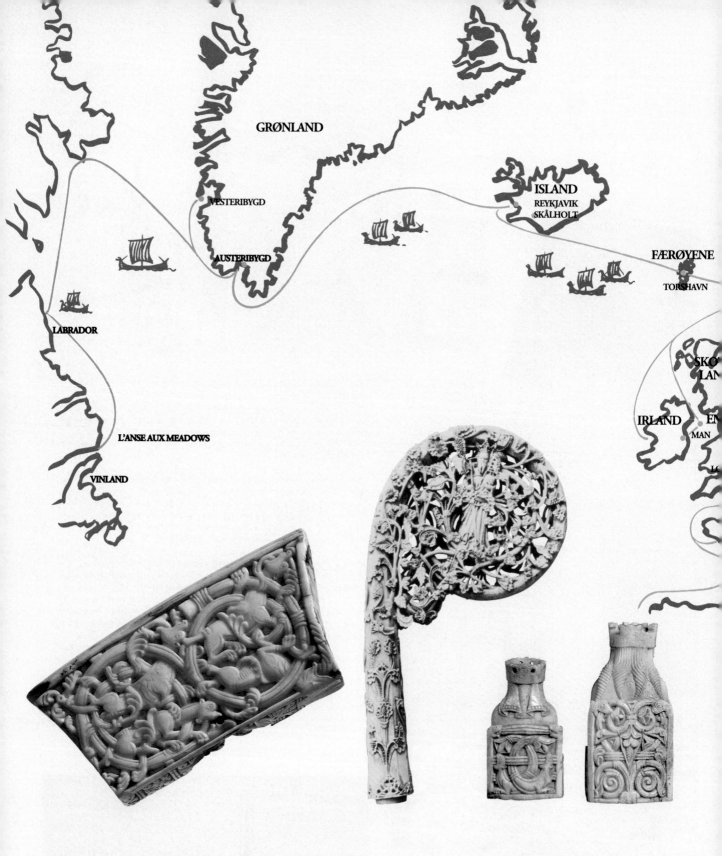

GRØNLAND

VESTERIBYGD

AUSTERIBYGD

ISLAND
REYKJAVIK
SKÅLHOLT

FÆRØYENE
TORSHAVN

LABRADOR

L'ANSE AUX MEADOWS

VINLAND

SKO
LAN

IRLAND   EN
        MAN

Her eksempler på den svært høye kunstneriske kvaliteten på gjenstander en mener er laget av håndverkere i Nidaros i høymiddelalderen.

Lengst til venstre: Fragment av abbed- eller bispestav fra midten av 1100-tallet. (Nationalmuseet, København).

Del av bispestav i hvalrosstann, den såkalte "Digbystaven". (Victoria and Albert Museum, London).

Til høyre: Sjakkbrikker i hvalrosstann (The British Museum, London).

Here is an example of the high artistic quality of items experts believe were made by craftsmen in Nidaros during the late Middle Ages.

Furthest to the left: Fragment of an abbot or pastoral staff from the middle of the 12th century. (National Museum, Copenhagen, Denmark).

Part of a pastoral staff made of walrus tusk, the so-called "Digsbystaven". (Victoria and Albert Museum, London, England).

Right: Chess pieces made of walrus tusk (The British Museum, London, England.)

Nidaros opplevde en økonomisk og politisk blomstringstid på 1100- og 1200-tallet. Byen ble sentrum for den norske kirkeprovins og erkebispesete i 1152–53. Dette trakk store inntekter til Nidaros i form av landskyld og andre avgifter. Mesteparten av avgiftene kom til Nidaros i form av landbruksprodukter, pelsverk og edelt metall, og skapte grunnlag for en blomstrende handel og håndverks-virksomhet.

Den økonomiske oppgangen førte til stor byggevirksomhet i byen. Bl.a. ble prestisjeprosjekt som domkirken og erkebispegården igangsatt i denne perioden.

Erkebiskopen i Nidaros hadde 10 lyd-bisper under seg – fire i Norge og seks på Vesterhavsøyene som strakte seg fra Grønland i nord til øya Man i Irskesjøen i sør.

I følge flere sagaer, kom grønlendingen Leiv Eiriksson til Olav Tryggvasons hoff i Nidaros høsten 999. Leiv ble her til året etter og lot seg kristne og døpe. Han fikk i oppdrag av kongen å kristne Grønland. Vel hjemme på Grønland, legger han ut på oppdagelsesferd vestover med flere båter og stort mannskap.

Leiv Eiriksson når Vinland og setter opp langhus ved L`Anse aux Meadows på nordspissen av Newfoundland.

På 1970-tallet ble restene av Leivs hus funnet av Helge og Anne Stine Ingstad.

Erkebispegården og domkirken var et kraftsentrum for håndverk i høymiddelalderen.

The Archbishop's palace and the cathedral were a melting pot for craftsmen during the late Middle Ages.

Nidaros flourished economically and politically during the 12th and 13th centuries. The city became a Norwegian ecclesiastical province and cathedral city in the years 1152 and 1153. This brought tremendous income to Nidaros in the form of land rent and other fees. Most of the fees came to Nidaros in the form of agricultural products, furs and precious metals and created a basis for a flourishing trade in goods and handicrafts.

The economic upswing led to tremendous construction activity in the city. It was during this time the construction of prestigious projects such as the cathedral and the Archbishop's palace were initiated.

The Archbishop's palace in Nidaros had ten bishops under its jurisdiction – four in Norway and six on the North Sea islands stretching from Greenland in the north to the Isle of Man in the Irish Sea in the south. According to several sagas, the Greenlander Leif Eriksson came to Olav Tryggvason's Nidaros court in autumn in the year 999. Leif remained a year and was christened and baptised. The king gave him the task of Christianising Greenland. Upon Leif's return home to Greenland, he set out on his explorations westward with several boats and a large crew.

Leif Eriksson reached Vinland and built a traditional Norwegian "langhus (long house)" at L'Anse aux Meadows on the northern tip of Newfoundland. In 1970, remnants of Leif's house were discovered by Helge and Anne Stine Ingstad.

1600-tallet var en blomstringstid for handelsmenn og redere i Trondheim. Årlig ble det eksportert store mengder gods til utlandet, og varer ble tatt hjem på egen kjøl fra fjerne farvann. Kopper ble eksportert til Nederland, trelast til England og sild skipet til havner i Østersjøen.

Nederlenderen J. Maschius laget dette kopperstikket av Trondheim da han besøkte byen i 1674. Som bildet viser var det stor skipstrafikk på Nidelva, mens det på Bakklandet var verft for bygging og overhaling av skip.

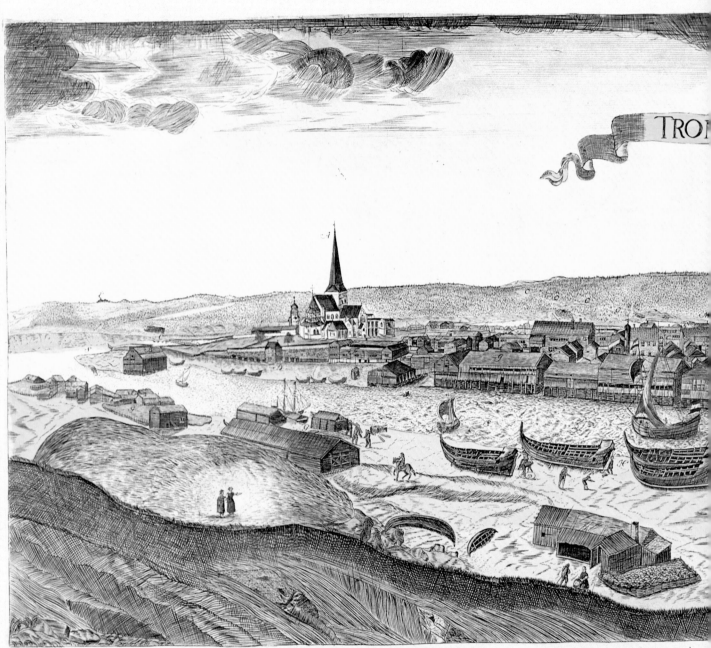

URBS NORRIGIÆ CELEBERRIMA NIDROSIA

The 17th century was a tremendous century of growth for traders and shipowners in Trondheim. Each year, large amounts of goods were exported and imported to and from foreign seas. Copper was exported to the Netherlands, lumber to England and herring was shipped to ports in the Baltic Sea.

The Dutch J. Maschius made this copperplate depicting Trondheim when he visited the city in 1674. As the picture shows, there was a great deal of shipping activity on Nidelva river, while at Bakklandet there was a wharf for building and overhauling ships.

Cicignons nye byplan for Trondheim brøt
helt med det gamle bymønstret. Han ville
skape en by preget av datidens europeiske
ideer for byutvikling.

For Cicignon var militære hensyn viktig. Han
bygget Kristiansten festning samtidig som
bestyrkningen av Munkholmen og Skansen
ble betydelig forsterket. Disse tre forsvars-
verkene skulle verne byen mot fiender.

*Cicignon's new city plan for Trondheim broke
radically with the old design of the city.
He wanted to create a city reflecting current
European trends in city development.*

*For Cicignon, military considerations were
important. He built Kristiansten Fortress, while
at the same time further fortifying Munkholmen
and Skansen. These three defensive works would
protect the city against its enemies.*

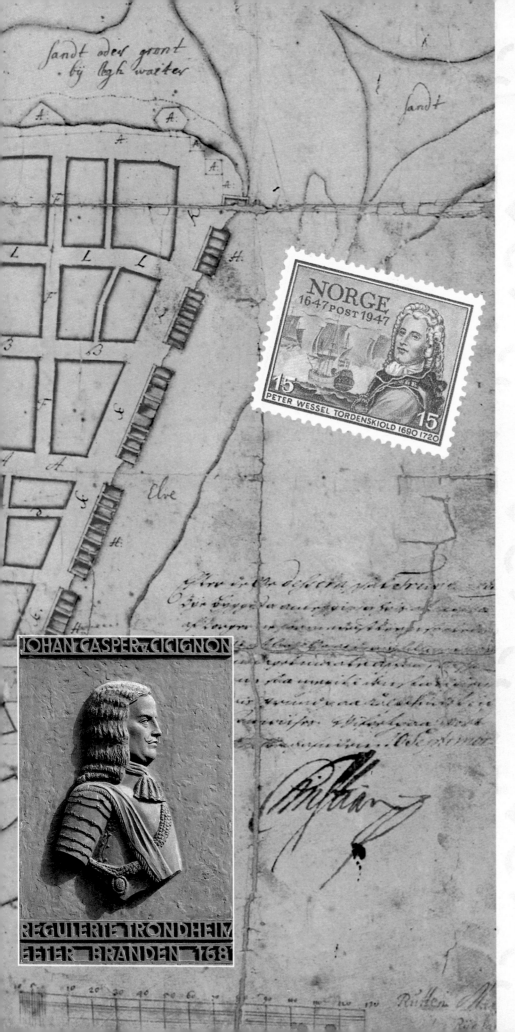

JOHAN CASPER CICIGNON

REGULERTE TRONDHEIM EETER BRANDEN 1681

I 1681 ble Trondheim rammet av en ny storbrann, den såkalte "Hornemanns-brannen", og mesteparten av byen ble i løpet av få timer forvandlet til en rykende ruinhaug. Rent tilfeldig var general-major Johan Caspar von Cicignon fra Oberwampach i Luxemburg på besøk i Trondheim da brannene raste som verst.

Cicignon hadde studert festningsbygging i Frankrike, Spania og Italia, og i 1657 ble han vervet av stattholder Ulrik Fredrik Gyldenløve til dansk-norsk tjeneste. Etter å ha tjenestegjort blant annet i Bergen og i Fredrikstad, beordres Cicignon av kong Christian V til å utarbeide en ny byplan for Trondheim.

Samtidig med at Cicignons revolusjone-rende byplan blir satt ut i livet, leker en villstyring av en guttunge på de mange byggstillasene som nå preger byen. Peter Wessel ble født i Trondheim 28. oktober 1690. Han rømmer til Køben-havn fjorten år gammel, og mønstrer på slaveskipet Christianus Quintus som dekksgutt i 1706. Han gjør lynkarrière i den dansk-norske marine, og blir adlet av kong Fredrik IV under navnet Torden-skiold. Han dør i en meningsløs kårde-duell ved Hannover i 1720, bare 30 år gammel.

In 1681, Trondheim suffered another major fire, the so-called "Hornemanns fire", and most of the city was in the course of a few hours transformed into smouldering ruins. Coincidentally, Major-general Johan Caspar von Cicignon from Oberwampach in Luxembourg was visiting Trondheim when the fires were raging at their worst.

Cicignon had studied the construction of defence fortifications in France, Spain and Italy, and in 1657 he was recruited by Governor Ulrik Frederik Gyldenløve to serve the Danish-Norwegian government. After having served in among other places Bergen and Fredrikstad, Cicignon was commissioned by King Christian V to design a new city plan for Trondheim.

At the same time as Cicignon's radical city plan was put into effect, a rebellious little boy was busy playing on the miles of scaffolding enveloping the town. Peter Wessel was born in Trondheim on 28 October 1690. He ran away to Copen-hagen only fourteen years old, and enlisted on the slave ship Christianus Quintus as a deck boy in 1706. He made a lightning career in the Danish-Norwegian navy and was knighted by King Fredrik IV under the name Tordenskiold. He died in a meaning-less sword fight in Hannover in 1720 only 30 years of age.

Hovedtanken til Cicignon ble fulgt i gjenoppbyggingen av byen etter katastrofe-
brannen i 1681. De nye gatene skar gjennom de gamle kvartalene, og mange
mistet tomtene sine. Småkårsfolk ble tvunget vekk, og slo seg ned på Kalvskinnet,
i Ila og på Bakklandet. Overklassen som hadde brygger og boliger i Kjøpmanns-
gata, trekker på 1700-tallet inn mot byens mest prestisjefylte boligstrøk, Torvet
og Munkegata. En av disse var Cecilie Christine Schøller som bygget Nordens
største trepalé, Stiftsgården, i 1774-78. Idag er Stiftsgården bolig for konge-
familien når de besøker Trondheim.

Både i 1651 og 1681 startet storbrannene i en av bryggene langs Nidelva.
Med sine to-tre tusen gamle trehus, er byen også idag utsatt for brann.

*Cicignon's main ideas were followed in the reconstruction of the city after the
catastrophic fire of 1681. The new streets carved their way through old districts, and
many people lost their homes. Poor people were forced out, and ended up settling at
Kalvskinnet, at Ila and at Bakklandet. The upper classes who had had private piers and
homes in Kjøpmannsgata in the 18th century moved into the city's most prestigious
residential area, Torvet and Munkegata. One of these persons was Cecilie Christine
Schøller who in the years 1774-78 built Northern Europe's largest mansion made of
wood, Stiftsgården. Today, this building is the residence of the Norwegian royal family
whenever they visit Trondheim.*

*Both in 1651 and 1681 major fires started in one of the piers along the Nidelva river.
With its two to three thousand old wooden houses, the city is still today quite vulnerable
to fire.*

21

TRONDHEIM
a major city with small-town ambience

*G*amle Bybro med "Lykkens portal", utvilsomt et av Trondheims mest populære fotomotiv. Brua er tegnet av stadsingeniør Carl Adolf Dahl og ble bygget i 1861. Det ble det allerede i 1683 anlagt en tre-bru over til Bakklandet, på samme sted som Gamle Bybro ligger idag. Gamle Bybro er "porten" til Trondheims mest pittoreske bydel, Bakklandet.

Tidlig på 1970-tallet ble det planlagt å bygge en motorvei gjennom bydelen. Mer enn et halvt hundre 1800-talls trehus skulle rives til fordel for veien. Planene møtte stor motstand i lokalmiljøet, og etter noen år ble motorveiplanene skrinlagt. Etter denne avgjørelsen har Bakklandet blomstret opp til å bli en levende bydel og et attraktivt boligområde.

*G*amle Bybro (the old city-bridge) with the "Gateway to happiness" is undoubtedly one of Trondheim's most popular tourist attractions. The bridge was designed by Carl Adolf Dahl and was built in 1861. Gamle Bybro is the gateway to Trondheim's most picturesque district, Bakklandet.

Already in 1683, a wooden bridge was built crossing over to Bakklandet. Early in the 1970s, there were plans to build a highway through this district. More than 50 wooden houses from the 1800s were slated to be demolished. Trondheim residents were outraged, and after a few years the highway plans were put on ice.
After this decision, Bakklandet has flourished.

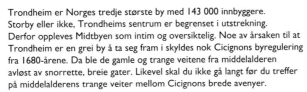

Trondheim er Norges tredje største by med 143 000 innbyggere. Storby eller ikke, Trondheims sentrum er begrenset i utstrekning. Derfor oppleves Midtbyen som intim og oversiktelig. Noe av årsaken til at Trondheim er en grei by å ta seg fram i skyldes nok Cicignons byregulering fra 1680-årene. Da ble de gamle og trange veitene fra middelalderen avløst av snorrette, breie gater. Likevel skal du ikke gå langt før du treffer på middelalderens trange veiter mellom Cicignons brede avenyer.

Til venstre: Nordre gate, Trondheims mest kjente promenadegate. Sommers tid yrer Nordre gate av liv og aktivitet. Da er stemningen nærmest sydlandsk mellom fortausrestauranter, gatemusikanter og salgsboder.

Even though Trondheim is Norway's third largest city with a population of 143 000, Midtbyen (downtown) has a small-town charm and is easy to get around in. This is in great part due to Cicignon's well-designed city plan from the 1680s. The old and narrow road structure from the Middle Ages was replaced by straight, wide streets. Nonetheless, you need not go far to find winding, medieval roads lurking between Cicignon's wide avenues.

Left: Nordre gt., Trondheim's most famous pedestrian street. During the summer, crowds of people fill this promenade, creating a Mediterranean atmosphere among the street restaurants, street musicians and shops.

Erichsen Konditori på Nordre etablert 1856, er kjent over hele landet for sin café og sine utsøkte konditorvarer.

Erichsen Konditori (café) on Nordre gt. was founded in 1856 and is famous for its delicious confectionery.

Til venstre: Dronningens gate er en av Trondheims travleste handlegater.

Til høyre: Mathesongården på hjørnet av Olav Tryggvasons gate og Søndre gate er et kjent trekk i Trondheims bybilde.

Left: Dronningens gate is one of Trondheim's busiest shopping areas.

Right: Mathesongården at the corner of Olav Tryggvasons gate and Søndre gate is a beloved landmark.

Torvet, Trondheims sentrum og midtpunkt i Cicignons byplan. Den store åpne plassen, er inndelt i fire kvadranter med statuen av Olav Tryggvason i sentrum. På den sørøstre og sørvestre kvadrant har torghandlerne sine boder, og litt ut på sommeren bugner Torvet av grønnsaker, frukt og blomster. Særlig er omsetningen stor når det er sesong for store og søte trønder-jordbær.
Her i utkanten av den sørvestre torvkvadranten holder turistinformasjonen til med skulpturen "Torgkona" av billedkunstneren Tone Thiis Schjetne utenfor inngangsdøra. (Under).

Torvet (market square) is the focal point of the city. The large open square is divided into four quadrants with the statue of Olav Tryggvason in the middle. At the south-east and south-west quadrants, entrepreneurs are busy selling from their improvised booths, and in the summer, Torvet is overflowing with vegetables, fruit and flowers. Turnover is at a peak during the season for large and sweet local strawberries.
On the outskirts of the south-west quadrant is Trondheim's Tourist Information Office with the sculpture "Torgkona" by the sculptor Tone Thiis Schjetne. (Above).

27

Med ferske, nykokte reker på bryggekanten, ja, da står tiden nærmest stille i Ravnkloa.

Time for a break when fresh shrimp arrive at the fishmarket Ravnkloa.

Ravnkloa, Trondheims gamle og tradisjonsrike fisketorg, er en opplevelse både for øye og gane. Fiskehallen bugner av havets delikatesser, lekkert anrettet på fiskehandlernes bord.

Ved bryggene legger fjordfiskerne til med nattens fangst, blodfersk og nytrukket. Ravnkloa er også utgangspunkt for båtturer til Munkholmen og på fjorden.

Ravnkloa is the city's venerable fishmarket, an adventure both for the eyes and the palate. The fishmarket is full of the sea's delights, elegantly on display.

At the harbour, the fjord fishermen are docked with the day's fresh catch. Ravnkloa is also the point of departure for boat excursions to Munkholmen and out into the fjord.

The Norwegian constitution day celebrations on 17 May have long traditions in Trondheim. In fact, this was where these celebrations began in the 1820s: the very first 17 May parade in Norway started at Torvet in Trondheim and ended at Ilevollen.

Far right: The children's parade winds its way down Munkegata. Children are the most active participants during the 17 May celebrations, and there are plenty of games and fun, and not least of all, plenty of ice cream!

17. mai-feiringen har lange tradisjoner i Trondheim. Det var faktisk her feiringen av Norges grunnlov startet i begynnelsen av 1820-årene, og det første 17. mai-toget i Norge gikk fra Torvet i Trondheim til Ilevollen.

Lengst til høyre: Barnetoget på vei ned Munkegata. 17. mai er barnas store festdag, med lek og moro, og ikke minst; spising av is!

Bakklandet er Trondheims eldste "drabantby". Utbyggingen av bydelen startet så tidlig som på 1600-tallet, men det har vært virksomhet der siden middelalderen. Norges eldste industribedrift, Teglverket på Bakklandet, er nevnt i rettsbot fra Magnus Lagabøter allerede i 1277. Etter forfall frem til 1970–tallet, framstår Bakklandet idag som en levende og vakker bydel, med mange restaurerte trehus fra 1800-tallet.

Over: Verdens første sykkelheis "Trampe" ble åpnet i Brubakken på Bakklandet i 1993. Under: Cafe "Gåsa" er et serveringssted en knapt finner maken til noe sted.

Bakklandet is Trondheim's oldest "suburb". Construction of the district began as early as the 17th century. But there has been plenty of activity here going back to the Middle Ages. Norway's oldest industry, Teglverket at Bakklandet, is mentioned in records going back to the time of Magnus Lagabøter in the year 1277. After a long period of decay lasting until the 1970s, Bakklandet has now been transformed into a bustling and beautiful district (with many fully-restored 19th century houses).

Above: The world's first bicycle lift "Trampe" was opened in Brubakken at Bakklandet in 1993. Below: Café Gåsa (the goose), a one-of-a-kind café.

Øvre Bakklandet er kanskje Trondheims mest maleriske gate.

Under: Bydelen Bakklandet strekker seg fra Nidelva og oppover mot høyden Møllenberg skanse.

Øverst til høyre: Et av Bakklandets eldste hus.

Upper Bakklandet is perhaps Trondheim's most picturesque street.

Below: The Bakklandet district stretches from Nidelva and up to Møllenberg heights.

Above right: One of Bakklandet's oldest houses.

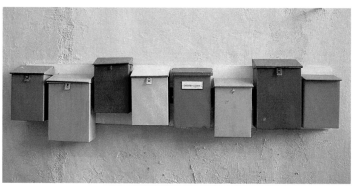

I 1890 hadde Trondheim rundt 38 000 innbyggere. Byen hadde de siste ti-årene opplevd stor tilflytting på grunn av industrireisning, og derfor var bare vel halvparten av befolkningen født i Trondheim. Den store tilflyttingen førte til at nye boligstrøk vokste fram. Rosenborg, Møllenberg og Ila ble bygget i tiden rundt århundreskiftet.

I dag, hundre år seinere, er disse sentrumsnære boligstrøkene fremdeles populære. Boligene er modernisert som her på Møllenberg. Kirkegata framstår idag som et attraktivt boligstrøk.

Idyllen er så absolutt tilstede når familien benker seg til til bords i bakgården på Møllenberg. Også barna er det tatt hensyn til i de gamle boligstrøkene gjennom streng trafikkregulering og opparbeiding av lekeplasser.

In 1890, Trondheim had about 38 000 inhabitants. The city had experienced tremendous growth the previous few decades as a result of industrialisation, and consequently only half of the city's population was born in Trondheim. This growth led to the emergence of new residential districts. Rosenborg, Møllenberg and Ila were all built around the turn-of-the-century.

Today, a century later, these downtown residential areas are still popular. The houses have been modernised as here at Møllenberg. Apartments along Kirkegata are in high demand.

Idyllic surroundings when a family gathers in a backyard at Møllenberg. Strict traffic controls and the construction of playgrounds has given the area a family-friendly image.

/.

Ila er et annet av Trondheims gamle boligstrøk fra
århundreskiftet. Kontrastene blir store når moderne
boligblokker tårner seg opp bak pittoreske 1800-talls
småhus som her i Ilsvikøra.

Trondheim fikk elektrisk sporvei i 1901. Etter lange
diskusjoner vedtok politikerne å legge ned trikkedriften
i Trondheim i 1988. Et privat initiativ førte i 1990 til at
driften av den tidligere Graakalbanen mellom St. Olavs
gate og Lian ble gjenopptatt.

Under til venstre: I Hospitalsløkkan er boligene
restaurert og fremstår i dag slik de gjorde da de ble
bygget i 1890-åra.

Under til høyre: Ilaparken er et populært parkområde
for befolkningen i Ila. I enden av denne parken lå det
kjente forlystelsesstedet "Hjorten". Stedet ble revet i
1962 etter mange års forfall.

Helt til høyre: Utsikt mot Nidarø, Ila kirke og
Munkholmen, med Hurtigruta på vei ut fjorden.

2.

Ila is another of Trondheim's old residential districts from the turn-of-the-century. The contrasts are obvious when modern apartment buildings tower up between picturesque 19th century small houses such as here at Ilsvikøra.

An electric trolley system was installed in Trondheim in 1901. In 1988, after lengthy discussions, politicians decided to retire the trolley. In 1990, a stretch of the former Graakalbanen between St. Olavs gate and Lian was put back into operation on the initiative of a private organisation.

Below: At Hospitalsløkkan, the houses have been restored and appear as they did when they were built in the 1890s.

Below right: Ila Park is a popular park area for the locals. At the end of the park stood the well known entertainment venue "Hjorten", which was demolished in 1962.

Far right: View toward Nidarø, Ila church and Munkholmen with the Hurtigruta (express coastal steamer) on its way out to sea.

3.

Selv om Trondheim ikke er blant de aller
travleste havnebyene i landet, er mengden gods
og antallet passasjerer som havna betjener
relativt stor.
Til venstre: Utsikt mot Munkholmen med fyrlykta
på Ila pir i forgrunnen.
Til høyre over: Den nye Pirterminalen som er
start- og endestasjon for hurtigbåttrafikken til og
fra Trondheim. Her legger også cruiseskipene til.
Til høyre: Parti med de gamle Bryggene ved indre
Kanal.
Under: Elvehavna med Royal Garden Hotel og
Bryggene. Trondheims mest trafikkerte bru over
Nidelva, Bakke bru, sees til venstre.
I bakgrunnen, Gamle Bybro og Nidarosdomen.

Neste oppslag: Fra Ravnkloa med fiskehallen til
høyre.

*Even if Trondheim is not among the busiest port
towns in the country, the amount of goods and
number of passengers passing through is
considerable.*
*Left: View toward Munkholmen with the lighthouse at
Ila in the foreground.*
*Right above: The new Pir Terminal is the start and
end station for express coaster steamers to and from
Trondheim. Cruise ships also dock here.*
*Right: A section of the old docks along the inner
channel.*
*Below: The river harbour with Hotel Royal Garden
and the docks. Trondheim's most visited bridge
across Nidelva River, Bakke bru, at the far left.*
*In the background: Gamle Bybro and Nidaros
Cathedral.*

Next page: Ravnkloa with the fishmarket far right.

Byen skifter karakter når gater og bygninger dekkes av snø. Vintrene kan være svært snørike i Trondheim. Da er bruk av både ski og sparkstøtting i sentrumsgatene ikke noe uvanlig syn.

The city changes character when the streets and buildings are covered with snow. When the winter fills the city with snow, it's good to have skis and kick-sledges to get around downtown.

UNIVERSITY TOWN
t all began with the Norwegian Institute of Technology

*U*tdanning og forskning står sentralt i Trondheim. Ingen annen norsk by har så mange studenter i forhold til innbygger-tallet.
Rundt 25 000 studenter har sitt daglige virke ved Universitetet i Trondheim, UNIT, og Høgskolen i Sør-Trøndelag.

UNIT ble opprettet i 1968 med Norges tekniske høgskole, NTH, og Den allmenvitenskapelige høgskolen, AVH, som de to tyngste enhetene. Fra 1. januar 1996 skifter universitetet navn til Norges teknisk naturvitenskapelige universitet, NTNU.

Til venstre: NTHs hovedbygning på Gløshaugen sto ferdig høsten 1910. I forgrunnen Trondheims-studentenes sosiale storstue, Studentersamfundet.

*E*ducation and research are a high priority in Trondheim.
No other Norwegian city has as many students in proportion to inhabitants as Trondheim. Around 25 000 students attend the University of Trondheim (UNIT) and Sør-Trøndelag College.

UNIT was established in 1968 by merging Norges Tekniske Høyskole (NTH) and Den allmenviten-skapelige høgskolen (AVH).
As of 1 January 1996, the university will change its name to Norges teknisk naturvitenskapelig universitet (NTNU).

Left: NTH's main building at Gløshaugen was built in 1910. In the foreground, Trondheim's students meeting place, Studentersamfundet.

51

Lengst til venstre: Studenter fra Institutt for drama, film og teater i full gang med å øve inn en scene.

Til venstre: I Universitetsbiblioteket på Dragvoll finner man lett den litteratur man ønsker på data.

Far left: Students from the Institute of drama, film and theatre rehearsing a scene.

Left: Computers help students find what they need at the university library at Dragvoll.

Senteret på Dragvoll som er oppført i flere byggetrinn, er tegnet av den danske arkitekten Henning Larsen.

The Danish architect Henning Larsen designed the facilities at Dragvoll which have been built in several stages.

Siden NTH åpnet sine dører for de første studentene i 1910, har studenttallet økt år for år. I dag er antall studenter ved NTH i underkant av 10 000. Den store økningen har naturlig nok også ført til økning av undervisningsbygg, laboratorier, osv. Som bildet til venstre viser er NTH nærmest blitt en by i byen på Gløshaug-platået.

For å holde tritt med utviklingen stilles det stadig nye krav til sivilingeniør- og arkitektutdanningen. I tillegg til grunnleggende teknologikunnskap ønsker NTH at studentene skal ha økt viten om miljø og etikk. Sikkerhet, økonomi og design er fag det også undervises i.

AVH, Den allmennvitenskapelige høgskolen, er den andre tunge enheten som utgjør UNIT. Det er et imponerende syn å komme inn i de glassoverbygde gatene ved universitetssenteret på Dragvoll.

Universitetssenteret på Dragvoll, Det medisinske fakultet ved Regionsykehuset og Det matematisk–naturvitenskapelige fakultet på Rosenborg har tilsammen 9500 studenter.

Since NTH opened its doors for the first students in 1910, the number of students attending the school have increased year by year. Today there are just under 10 000 students attending the school. The large increase in students has naturally led to the need to increase the number of classrooms, laboratories, etc. As the photo shows (left), the NTH campus has grown to the size of a small town.

In order to keep pace with international trends, new demands have been set for the curriculum for civil engineers and architects. In addition to basic technological expertise, NTH would like to emphasise subjects such as the environment and ethics. Security, finances and design are also popular subjects.

AVH is the other major unit comprising UNIT. The glass-covered streets at the university centre at Dragvoll are an impressive sight.

The university centre at Dragvoll, The Medical Faculty at the Regional Hospital and the Faculty of Science at Rosenborg have in all 9 500 students.

NTH i samarbeid med forskningsstiftelsen SINTEF er et nasjonalt kompetansesenter innen teknologisk utdanning og forskning. Sammen med Statoils forskningssenter i Trondheim, og Det medisinsk–tekniske forskningssentret, har de to institusjonene nærmere 4200 ansatte. Kanskje litt spesielt for universitetsmiljøet i Trondheim er vektlegging av forskning på tvers av tradisjonelle fagområder. Et eksempel på dette er Det medisinsk–tekniske forskningssentret. Her har teknologer og medisinere gått sammen om forskning på, og utvikling av avansert teknologisk medisinsk utstyr. Et eksempel er de såkalte Ugelstadkulene, utviklet av NTH-professor Jon Ugelstad. Ved UNIT foregår også avansert forskning blant annet innen biologi, botanikk og genetikk.

In co-operation with the research foundation SINTEF, NTH is a national powerhouse for technological education and research. Together with Statoil's research centre in Trondheim and the Medical-technical research centre, the two institutions together have close to 4200 employees. A particular characteristic of the university environment in Trondheim is the emphasis on interdisciplinary research. One example is the Medical-technical Faculty research centre, where scientists and physicians have banded together to research and develop technologically advanced medical equipment. One example of the fruits of this co-operation are the Ugelstad spheres, developed by NTH professor Jon Ugelstad. There is also advanced research taking place at UNIT in the areas of biology, botany and genetics.

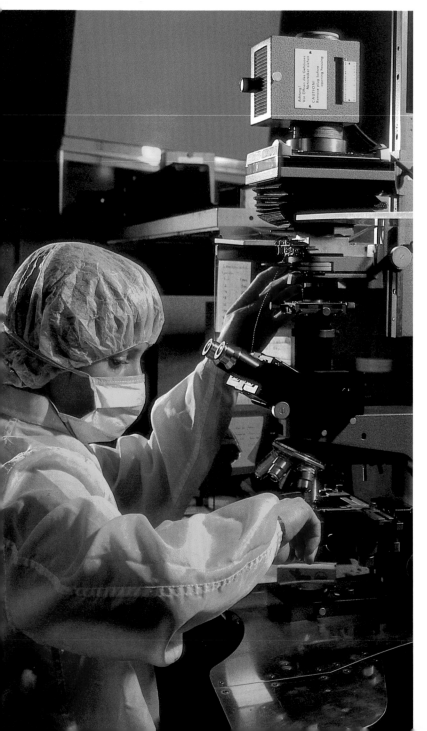

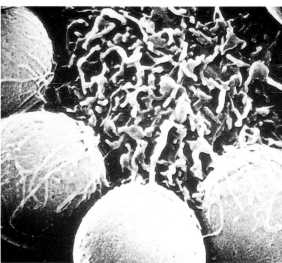

Trondheim er kjent for sitt gode studentmiljø. Noe av årsaken til at studentene trives i byen skyldes nok Studentersamfundet som har vært Trondheims-studentenes faste samlingssted siden bygningen ble reist på 1930–tallet. Her i "Det runde hus" holdes studenteruka i Trondheim – "Uka" – hvert andre år. Uke-tradisjonen går helt tilbake til 1917. Her er revyen en hovedbegivenhet, i tillegg til en rekke andre kulturelle og sosiale aktiviteter. Dessuten er Studentersamfundet stedet for all verdens student-løyer der musikk og sang hører naturlig med, noe som setter preg på bybildet.

Trondheim is famous for being a fun town to study in. Part of the reason why students like the town is undoubtedly Studentersamfundet, which has been the regular meeting-place for students since the building was built in the 1930s. Here in "The round house" is organised the yearly "Uka" which is a full three week of student celebrations and events, with an uninterrupted tradition going back to 1917. The main event during "Uka" is a student revue (cabaret). Other cultural and social activities also fill the programme. Studentersamfundet is also an international melting pot with music and singing as a natural focus.

NIDAROSDOMEN

Norges nasjonalhelligdom

NIDAROS CATHEDRAL
Norway's national sanctuary

"*O*lavskyrkja i Trondheim
ho glimar av gull
Bendik sko inkje livet njote
om ho var tri gongjir full!".

I folkevisa "Bendik og Årolilja",
antagelig nedtegnet i Telemark
tidlig på 1300-tallet, nevnes
Nidarosdomen i tre vers. Det
forteller kanskje litt om hvilken
status Nidarosdomen hadde blant
folk her i landet allerede da.

Nidarosdomen, Norges nasjonal-
helligdom, ruver ennå i nord-
menns bevisshet og ikke minst i
Trondheims bybilde, slik den har
gjort det gjennom 850 år.
Med sitt 102 meter lange og 50
meter brede kirkeskip, er
Nidarosdomen nordens største
middelalderbygning.

"*O*lav's church in Trondheim
as bright as polished gold
Bendik's pleasure ne'er surpassed
had thrice the gold been rolled".

*In the folk tale "Bendik and
Årolilja", presumably composed in
Telemark early in the 14th
century, the Nidaros Cathedral is
mentioned in three verses. This says
much about the status Nidaros
Cathedral had among Norwegians
as early as the Middle Ages.*

*The cathedral, Norway's national
relic, not only dominates
Trondheim's cityscape, but it has
also served as a prominent national
icon in the minds of most
Norwegians for the last 850 years.*

*With its 102-metre-long and
50-metre-wide nave, Nidaros
Cathedral is Scandinavia's largest
medieval building.*

Olav Haraldssons fall i slaget på Stiklestad 29. juli i 1030 er det store skille i norsk historie i middelalderen, og danner opptakten til byggingen av Nidarosdomen. Sagaen forteller at kong Olav ble gravlagt i sanden ved Nidelva sør for byen. Snart går ryktene om at det skjer undre ved graven, og bare ett år etter blir graven åpnet. Det viser seg at kongens hår og skjegg har vokst. Biskop Grimkjell opphøyer kongen til martyr og helgen. Olav den Hellige legges i et skrin som plasseres på alteret i Klementskirken.

Legenden om Olav den Hellige sprer seg raskt, ikke bare i Norge, men langt utenfor landets grenser. Rundt år 1070 starter Olav Kyrre byggingen av den første kirken over Olav den Helliges grav. I begynnelsen av 1100-tallet reises tverreskipet i romansk stil. Etter at erkebiskop Eystein Erlendsson vender tilbake til Nidaros i 1183, fortsetter han byggearbeidene. Nå er det gotikken som er tidens stil, og Eystein Erlendsson setter igang omfattende byggearbeider inspirert av kirkebygg han har sett i England og Frankrike.

Først på 1300-tallet står Nidarosdomen ferdig i all sin prakt, og Olav den Hellige har fått sitt storslagne minnesmerke. Pilegrimer fra hele Norden og den nordlige delen av Europa valfarter til Nidaros for å finne trøst og helbredelse ved skrinet med helgenkongen som var plassert på høyalteret i kirken. I 1328 rammes kirken av den første av en rekke branner. Seinmiddelalderens langvarige økonomiske krisetid, forårsaket i første rekke av Svartedauen, gjorde at Nidarosdomen lå helt i ruiner ved reformasjonen i 1536. Olavsskrinet i sølv var ført til Danmark for omsmelting. Olav den Helliges gravkiste tok svenskene under et raid mot Trondheim i 1564, og gravde kisten ned ved Fløan kirke i Nord-Trøndelag. Senere ble Olav den Helliges jordiske levninger ført tilbake til Trondheim og gravlagt på ukjent sted i Nidarosdomen. På 1700-tallet får Domkirken et smalt spir, og tas i bruk som menighetskirke. I 1869 kommer restaureringsarbeidene for alvor i gang. Bildet i midten viser hvordan kirken så ut i 1860-åra. Nederste bilde viser kirken slik den så ut til ca. 1900.

The defeat of Olav Haraldsson in the battle of Stiklestad on 29 July 1030, is a major cross-roads in Norwegian medieval history, and serves as the background for the construction of Nidaros Cathedral. The sagas tell that King Olav was buried in the sand on the banks of Nidelva south of town. Soon stories circulated about miracles taking place near the gravesite, and about one year later the town's authorities decide to exhume the grave. The exhumation reveals that the king's hair and beard had grown. Bishop Grimkjell proclaims the king a martyr and saint. St. Olav is then placed in a shrine kept at the alter in Klements church.

The legend about St. Olav soon spread southward, not just in Norway, but far beyond Norway's borders. Around the year 1070, Olav Kyrre begins the construction of the first church above the gravesite of St. Olav. Early in the 12th century, a Roman cross-nave church is raised. After Archbishop Eystein Erlendsson returns to Nidaros in 1183, he continues the construction work. By this time, Gothic architecture had become the standard of the day, and Eystein Erlendsson initiates an extensive construction project inspired by churches he had seen in England and France.

This magnificent memorial in honour of St. Olav was not finished until early in the 14th century. Pilgrims from all over Scandinavia and Northern Europe made their way to Nidaros to find consolation and salvation by the shrine of the saint-king who was placed at the high alter of the church. In 1328, the church suffers the first of a series of devastating fires. The financial crisis following in the wake of the Black Plague led to Nidaros Cathedral lying in ruins by the time of the reformation in 1536. St. Olav's shrine was taken to Denmark to be remelted. St. Olav's coffin was stolen by the Swedes in a raid on Trondheim in 1564, and buried at Fløan church in northern Trøndelag. Later, St. Olav's mortal remains were returned to Trondheim and buried at an unknown site in Nidaros Cathedral. In the 17th century, a small spire is built on the cathedral and the facility is used as a church. In 1869, restoration work is finally started. The picture in the middle shows how the church looked in the 1860s. The photo lower left shows the church in about the year 1900.

Bispehode, fra Nidarosdomens oktogon i kirkens østre del, ca. 1340.

Spiret på vestfrontens nordre tårn: Erkeengelen St. Michael som dreper dragen, den onde makt, med spyd.

Nidarosdomens sentraltårn er tegnet av arkitekt Eilert C. B. Christie og sto ferdig i 1901.

A sculpture of a bishop from the eastern part of the church, approx. 1340.

The spire at the west-front's northern tower: The Archangel St. Michael slaying the evil dragon with a sword.

Nidaros Cathedral's central tower, completed in 1901, was drawn by architect Eilert C. B. Christie.

Nidarosdomens rosevindu i vestfronten er Gabriel Kiellands hovedarbeid i kirken. Vinduet er en gave fra norske kvinner i 1930, og består av mer enn 10.000 glassbiter. Rosevinduet sto ferdig i 1934.

Nidaros Cathedral's stained glass window at the west-front is Gabriel Kielland's main piece in the church. Completed in 1934, the rose-shaped window was a gift from Norwegian women in 1930, and consists of more than 10 000 pieces of glass.

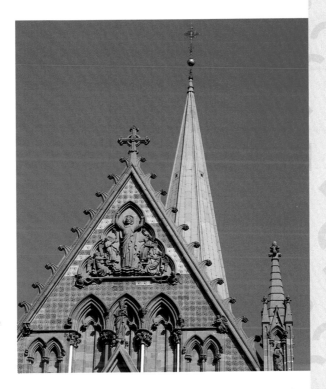

Nidarosdomens storslagne barokkorgel fra 1741 er igjen på plass i kirken etter å ha vært lagret i mer enn 60 år. Orgelet ble tatt ned for å gi plass til det store Steinmeyerorgelet i 1930. I 1994 ble orgelet totalrestaurert av den tyske orgelbyggeren Jürgen Ahrend, og er nå montert i domens nordre tverrskip.

The cathedral's magnificent baroque organ from 1741 is again in use in the church after having been stored for more than 60 years. The organ was removed to make room for the large Steinmeyer organ in 1930. In 1994, the organ was fully restored by the German organ builder Jürgen Ahrend, and is now installed in the cathedral's northern wing.

Over: Skulptur av Olav den Hellige med blomsterkrans.

Tradisjonen med å feire Olsok, 29. juli, blir holdt i hevd gjennom de årlige Olavsfestdagene i Trondheim.
Til venstre: "Munker" i historisk opptrinn på plassen foran Vestfronten.

Under: Nidarosdomens guttekor er kjent langt utover landets grenser.

Above: Sculpture of St. Olav with garland.

The tradition of celebrating St. Olav's day on 29 July is still alive in Trondheim.

Left: "Monks" in action on the square in front of the west-front of the cathedral.

Below: The cathedral's boys choir is internationally famous.

23. juni 1991 ble kong Harald V og
dronning Sonja signet i Nidarosdomen
av biskop Finn Wagle. Kong Haralds far,
Olav V, ble signet av biskop Arne Fjellbu
i samme kirke sommeren 1958.

Norske konger som er kronet i
Nidarosdomen:
- Karl Knutsson, 20. november 1449.
- Christiern I, 2. august 1450.
- Hans, 20. juli 1483.
- Karl XIV Johan, 7. september 1818.
- Karl XV og dronning Louise, 5.
  august 1860.
- Oscar II og dronning Sophie,
  18. juli 1873.
- Håkon VII og dronning Maud,
  22. juni 1906.

Konger gravlagt i Nidarosdomen:
- Olav den Hellige, død 1030.
- Magnus den Gode, død 1047.
- Olav Kyrre, død 1093.
- Håkon Magnusson, død 1095.
- Olav Magnusson, død 1115.
- Eystein Magnusson, død 1122.
- Håkon Sigurdsson Herdebreid,
  død 1162.
- Guttorm Sigurdsson, død 1204.
- Inge Bårdsson, død 1217.
- Skule Bårdsson, død 1240.

*On 23 June 1991, King Harald V and
Queen Sonja were crowned in Nidaros
Cathedral by bishop Finn Wagle. King
Harald's father, Olav V, was crowned by
bishop Arne Fjellbu in the same church
summer 1958.*

*Norwegian kings crowned in Nidaros
Cathedral:*
- Karl Knutsson, 20 November 1449.
- Christiern I, 2 August 1450.
- Hans, 20 July 1483.
- Karl XIV Johan, 7 September 1818.
- Karl XV and Queen Louise,
  5 August 1860.
- Oscar II and Queen Sophie, 18 July 1873.
- Håkon VII and Queen Maud,
  22 June 1906.

Kings buried in Nidaros Cathedral:
- St. Olav, died 1030.
- Magnus the Good, died 1047.
- Olav Kyrre, died 1093.
- Håkon Magnusson, died 1095.
- Olav Magnusson, died 1115.
- Eystein Magnusson, died 1122.
- Håkon Sigurdsson Herdebreid, died 1162.
- Guttorm Sigurdsson, died 1204.
- Inge Bårdsson, died 1217.
- Skule Bårdsson, died 1240.

Erkebispegården, er ved siden av Nidarosdomen, det viktigste bygg-verk fra middelalderen. Allerede i 1070 var Nidaros bispesete, men først i 1152-53 blir erkebispestolen opprettet. Den pavelige utsending som kom til Nidaros med fullmakter fra paven i Roma var kardinal Nicolaus Brekespear. Året 1154 blir han valgt til pave og tar navnet Hadrian IV. Dermed var det knyttet sterke bånd mellom Nidaros og Roma, og Norges første erkebiskop, Jon Birgisson, startet byggingen av erkebispegården. Hans etterfølger, erkebiskop Eystein Erlendsson, er likevel den som er mest knyttet til norsk historie gjennom sitt engasjement i reisingen av Nidarosdomen og Erkebispegården. Norges siste erkebiskop, Olav Engelbrektsson, kjempet med alle midler for den katolske kirke og for norsk selvstendighet overfor Danmark. Høsten 1536 gjennomføres reformasjonen i Danmark, og i april 1537 flykter Olav Engelbrektsson fra landet. Reformasjonen i Norge er et faktum.
Under: Regalierommet i Erkebispegården med takdekorasjoner fra 1600-tallet. I dette rommet ble kronregaliene oppbevart etter Karl Johans kroning i 1818. I dag oppbevares kronregaliene i Nidaros-domen og utstilles til bestemte tider i sommerhalvåret.

*The Archbishop's palace is, next to the cathedral, the second most important Norwegian medieval building. As early as 1070, Nidaros was the Episcopal residence, but not until 1152-1153, was an archdiocese established. The papal delegate who came to Nidaros on behalf of the pope in Rome was Cardinal Nicolaus Brekespear. In 1154, he was elected pope and took the name Hadrian IV. Thus, strong ties were established between Nidaros Cathedral and Rome, and Norway's first Archbishop, Jon Birgisson, initiated the construction of the Archbishop's palace. Archbishop Jon Birgisson's successor, Archbishop Eystein Erlendsson is still the person most linked to Norwegian history through his involvement in constructing Nidaros Cathedral and the Archbishop's palace. Norway's last Archbishop, Olav Engelbrektsson, fought with all his might for the Catholic church and for Norwegian independence from Denmark. Autumn 1536, the Reforma-tion came about in Denmark, and in April 1537 Olav Engelbrektsson fled the country. The Reformation in Norway was a reality.
Below: The regalia room at the Archbishop's palace with 17th century roof decorations. In this room, the royal regalia were kept after Karl Johan's crowning in 1818. Today, the regalia are stored in Nidaros Cathedral and are exhibited at various times during the summer.*

OUTDOOR LIFE
from Bymarka to Munkholmen

Bymarka er Trondheims grønne lunge. Sommer som vinter ligger Bymarka der og lokker med sin vakre og varierte natur.
Og Bymarka er en kvalitet som trondheimsfolk vet å verdsette. Turgåerne tilbys et variert og godt utbygd turløypenett. Et tilbud finnes for alle. Dersom en har glemt nistepakken, er det også muligheter for servering: Skistua, Elgsethytta, Grønlia og Rønningen gård har åpent hver helg og enkelte ukedager. Men Trondheim har ikke bare Bymarka som sitt nære turområde. På østsiden av byen ligger Estenstadmarka med sitt fine turterreng. For folk som bruker dette området til turer er Estenstadhytta et naturlig mål.

Bymarka is the city of Trondheim's breath of fresh air. Both summer and winter, Bymarka can offer beautiful and varied nature experiences, something people from Trondheim truly know how to appreciate. Miles of trails are accessible both summer and winter. There is something for everyone. If you have forgotten to pack a lunch, stop off at one of the quaint restaurants for a bite to eat: Skistua, Elgset cabin, Grønlia and Rønningen farm are open every weekend and certain weekdays.
But Trondheim has more nature to offer than just Bymarka.
On the east side of the city, there is Estenstadmarka with its excellent hiking and skiing trails. Estenstad cabin is a popular destination point.

Skistuaområdet er utgangspunkt for turer i Bymarka både sommer og vinter. Herfra går det stier innover mot Elgsethytta, Grønlia eller til Bymarkas høyeste punkt, Storheia (565 m.o.h.).

Sommeren 1995 fikk Bymarka enda en attraksjon. Da åpnet Lavollen gård (bildet under) for første gang etter flere års restaurering.

The "Skistuaområdet" is the starting point for trips to Bymarka both summer and winter. From this site, you can follow trails to Elgsethytta (cabin), Grønlia or to Bymarka's highest point, Storheia (565 metres above sea level).

In the summer 1995, Bymarka received yet another attraction. This is when Lavollen gård (below) was opened for the first time after undergoing several years of restoration work.

Allerede på 1500-tallet blir Lavollen nevnt i gamle dokument, da som seter under Lade gård. Etter en omskiftende historie med ulike bruksområder, blir gården stående ubebodd, og forfallet setter inn. I 1988/89 kom restaureringsarbeidene så smått igang, og i løpet av 1996 vil samtlige seks hus være fullrestaurert.
Lavollen Gård skal foruten et Bymarksmuseum, inneholde et informasjonssenter for natur, miljø og kultur.

Lavollen is described in old documents, dating from the 16th century, as a mountain pasture farm belonging to Lade gård (farm). After a turbulent history, the farm stood unoccupied for a long time and began to decay.
In 1988/89, restoration work began and by 1996 all of the six buildings will be fully restored. In addition to featuring a Bymarka museum, Lavollen Gård (farm) will also feature an information centre for nature, environment and culture.

Bymarka er et eldorado for skiløping. Gjennom hele vinteren tilbys brukerne av Bymarka et velpreparert løypenett som strekker seg over hele Marka-området.

I helgene rundt påsketider kan det virkelig være trangt om plassen på de mest populære rutene. Ønsker en fred og ro, finner man også det i Bymarka. Områdene i de indre delene av Marka gir rike muligheter til skigåing utenfor de preparerte løypene.

Bymarka is an eldorado for skiers. Throughout the winter, skiers can follow well-prepared ski tracks stretching throughout the entire park area.

During the weekends around Easter, the most popular trails are packed, but if you are interested in peace and quiet, you can also find this in Bymarka. The areas in the inner parts of Bymarka offer ample opportunity to ski outside of the prepared tracks.

Coming ashore on Munkholmen a sunny summer's day is like turning the clock three hundred years back and wandering in an 18th century Danish village: the same houses, cobblestones and atmosphere.

Å komme i land på Munkholmen en solblank sommerdag, er som å skru tiden tre hundre år tilbake og vandre inn i en 1700-talls dansk landsby. Hele tablået er der: Husene, broleggingen og miljøet.

Men selv om Munkholmen i dag er en av Trondheims mest populære badeplasser, har historien rundt denne ensomme øya fire-fem drøye steinkast ut i fjorden nord for Trondheim sin dystre historie. Allerede i før-kristen tid ble Munkholmen brukt av de mektige Ladejarlene til rettersted. Her lot Olav Tryggvason Håkon Ladejarls og trellen Karks hoder sette på staker.

På slutten av 1600-tallet ble Munkholmen statsfengsel for tvillingriket Danmark-Norge med Peder Griffenfeldt som den mest kjente personen fra fangeprotokollen. Men Munkholmen kan også fortelle historie om fredelige og kulturelle sysler: Her ble Norges første kloster anlagt av benedictinerne på 1100–tallet. Og på denne øya ble Norges første historiebok skrevet av munken Tjodrek (Theodricus) i 1170 årene.

But even though Munkholmen today is one of Trondheim's most popular sites for bathing, the history behind this lonesome island just north of Trondheim is not so uplifting. Already in pre-Christian times, Munkholmen was used by the powerful Lade earls as a place of execution. Olav Tryggvason had Håkon Ladejarl and the slave Kark beheaded and put their heads on display at Munkholmen.

At the end of the 17th century, Munkholmen was used as a public jail for the twin-states Denmark-Norway with Peder Griffenfeldt as the most famous of the inmates. But Munkholmen can also tell a history about cultural and more peaceful activities: This is where Norway's first monastery for Benedictine monks was established in the 12th century. And Norway's first history book was written on this island by the monk Tjodrek (Theodricus) in the 1170s.

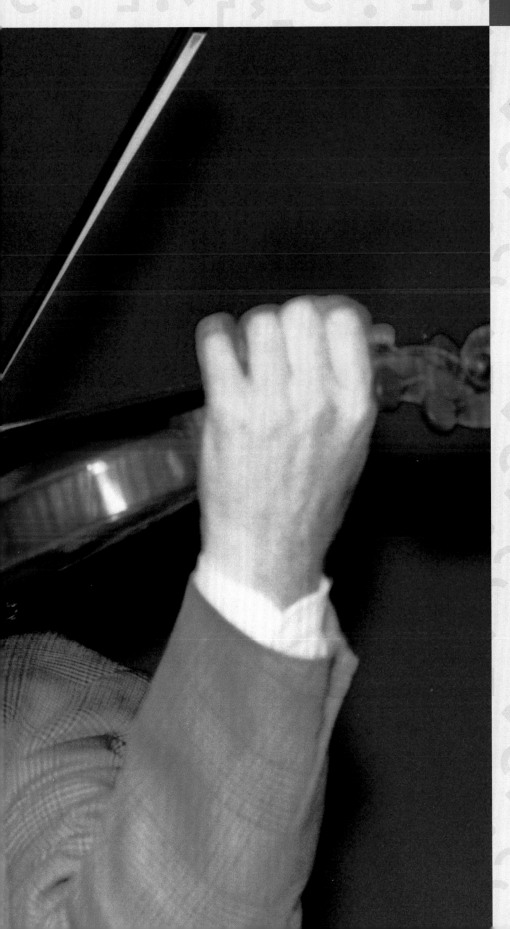

ART AND CULTURE
tradition and diversity

*K*ultur og kunst har fylt
Trondheim gjennom tusen år.
Fra skaldene som Olav Tryggva-
son omga seg med, til håndver-
kerne som bygde Nidarosdomen
og frem til i dag, har kunsten og
kunstuttrykket stått sentralt.

Men ikke bare kunstnerne som
bygde og utsmykket Nidaros-
domen opp gjennom århundrene
har brukt kunsten i sitt daglige
arbeid. Også menneskene som
har gitt liv til katedralen gjennom
seremonier, tale og musikalske
uttrykk, har brukt kirkerommet
som arena for sin kunstneriske
virksomhet.

I moderne tid har kunstuttrykket
tatt nye former. En av de som har
fulgt opp Trondheims musikalske
tradisjoner er den kjente fiolinis-
ten Arve Tellefsen fra Trondheim.

*C*ulture and art have enriched
Trondheim for a thousand years.
From the skalds that Olav
Tryggvason had at his court, to the
handicraftsmen who built Nidaros
Cathedral and up to the present,
art and art expression have always
played an essential role.

But not just the artists who built
and decorated Nidaros Cathedral
down through the years used art in
their daily activities. Also people
who have given life to the cathedral
through ceremonies, speeches and
music have used the church as an
arena for their artistic expression.

One of the those who have followed
up Trondheim's musical traditions
is the famous violinist Arve Tellef-
sen from Trondheim.

Dagens Trondheim har et rikt kulturtilbud som spenner over de fleste genrer, nivåer og uttrykksformer. Sentralt innen byens kulturutfoldelse står Olavshallen som ble tatt i bruk i september 1989. I tillegg til konsertsal med 1300 sitteplasser, huser Olavshallen Trondheim Symfoniorkester, Trondheim kommunale musikkskole, og Trondheim musikkonservatorium.

On the cultural front, Trondheim today can offer entertainment covering most genres, levels and forms of expression. A key element in the city's artistic activities is Olavshallen which was completed in September 1989. In addition to a concert hall seating 1300, this is also home to Trondheim Symphony Orchestra, Trondheim Municipal Music School and Trondheim Music Conservatory.

Trøndelag teater, har i over femti år hatt
tilhold i landets eldste teaterbygning fra
1816. Trondheim har lange tradisjoner
som teaterby. Allerede i middelalderen
ble byen besøkt av omreisende teater-
grupper og gjøglere. I det gamle
rådhuset, dagens folkebibliotek, og på
revy- og varietéscenen "Hjorten" i Ila,
ble det holdt konserter og forestillinger
med omreisende selskap. Den første
operaforestilling skal ha vært fremført i
Trondheim så tidlig som i 1794.

En ny og større teaterbygning har vært
et ønske gjennom mange år.
Og endelig går ønsket i oppfyllelse til
tusenårsjubileet i 1997. Da vil Trøndelag
teater i Prinsens gate ta i bruk en ny og
moderne teaterbygning.

*Trøndelag theatre has for more than fifty
years been located in the country's oldest
theatre (from 1816). Trondheim has long
traditions as a theatre city. Already in the
Middle Ages, the city was often visited by
travelling theatre groups. In the old city hall,
which is today the city's public library, and
on the revue and entertainment stage
"Hjorten" in Ila, concerts and presentations
were given by travelling theatre groups.
The first opera performance was held in
Trondheim as early as 1794.
A new and larger theatre building has been
a top priority for many years. Finally that
wish will come true in 1997 for the
thousand year anniversary. Then Trøndelag
theatre in Prinsens gate will be able to move
into a new and modern theatre building.*

En av de virkelig store turistattraksjonene i Trondheim er Ringve musikkhistoriske museum. Samlingen består av instrumenter fra hele verden som demonstreres av omviserne. Museet som ble grunnlagt av Victoria Bache, ligger på Ringve gård, Lade, en trøndersk herregård fra 1700–tallet. I en av bygningene som brukes av museet til kafé, vokste forøvrig Peter Wessel Tordenskiold opp.

One of the truly major tourist attractions in Trondheim is the Ringve Music History Museum. The collection consists of instruments from around the world which are played by professional musicians. The museum was founded by Victoria Bache and lies on Ringve gård (farm) in Lade, a typical Trondheim manor house from the 18th century. Peter Wessel Tordenskiold grew up in one of the buildings in the museum now used as a café.

Trøndelag folkemuseum på Sverresborg er museet for by- og bygdekultur i Trøndelag. Museet disponerer et stort område rundt birkebeinerkongen Sverre Sigurdssons borg "Sion". Museet viser miljøer fra bykultur, bondesamfunn og kystkultur. I sin samling har blant annet museet landets nordligste stavkirke, bygd i Haltdalen rundt 1170.

Trøndelag Folk Museum at Sverresborg is a museum for urban and rural culture in Trøndelag. The museum covers a large area around the Birkebeiner King Sverre Sigurdsson's castle "Sion". The museum's themes are urban culture, agricultural communities and coastal communities. In its collection the museum has among other things Norway's northernmost stave church built in Haltdalen in 1170.

I det gamle vertshuset "Tavern" fra 1739 er det fremdeles servering. Her får du retter med utgangspunkt i norske mattradisjoner i et særpreget miljø.

The old "Tavern" from 1739 serves food and beverages. The unique tavern bases its menu on Norwegian culinary traditions.

De brunsvidde tømmerbygningene i Oppdalstunet er et av de mest besøkte bygningsanlegg ved museet.

The aged log building in Oppdalstunet is one of the most visited buildings at the museum.

Trondhjems Kunstforening er landets eldste kunstgalleri, og ble stiftet så tidlig som i 1845. Galleriet har en rikholdig samling av norsk kunst fra 1800-tallet og frem til moderne tid. Blant annet eier samlingen flere arbeider av trondheimskunstneren Håkon Bleken. I samme bygning holder også Trøndelag Kunstgalleri til.

Nordenfjeldske Kunstindustrimuseum har en stor samling av gammelt og moderne kunsthåndverk. Blant annet Norges største samling billedtepper av Hannah Ryggen. (Nederst til venstre).

Trondhjems Sjøfartsmuseum (lengst, øverst til høyre) holder til i det gamle slaveriet fra 1725. Museet har en rikholdig samling av maritime gjenstander fra trøndersk skipsfartshistorie.

Henning Meyer er kjent over hele landet for sine bytegninger. Nå er han i ferd med å tegne hjembyen Trondheim til byjubileet i 1997. (Til høyre).

Trondheim's Art Society is the country's oldest art gallery (from 1845). The gallery has a rich collection of 19th century paintings, as well as modern Norwegian art. The collection has several works by the Trondheim artist Håkon Bleken. Trøndelag Art Gallery is also housed in the same building.

Nordenfjeldske College of Applied Arts and Crafts has a large collection of old and modern arts and crafts. The museum has the largest collection of tapestries by Hannah Ryggen (below left).

Trondheim's Seafaring Museum (far right, above) is located in the old slave-depot from 1725. The museum has a rich collection of historical maritime articles.

Henning Meyer is known over the entire country for his urban sketches. Now he is in the process of drawing his home town Trondheim for the city anniversary in 1997 (right).

Vitenskapsmuseet, tidligere Det Kongelige Norske Vitenskabers Selskab, i Erling Skakkes gate er et kultur- og naturhistorisk museum. Blant annet har museet en stor arkeologisk utstilling som omfatter materiale fra steinalderen frem til vikingetid og middelalder, i tillegg til zoologisk og botanisk utstilling.

Trondheim folkebibliotek (nederst til høyre) er bygget over ruinene av Olavskirken fra 1100-tallet. Her kan en også se en grav fra middelalderkirkegården som ble avdekket under bygging av folkebiblioteket.

The Museum of Natural Sciences in Erling Skakkes gate is a cultural and scientific-historical museum. Among other things, the museum has a large archaeological exhibition comprising material from the Stone Age and up to the Viking Age and Middle Ages, in addition to a zoological and botanical exhibition.

Trondheim Public Library (below, far right) is built on the ruins of the 12th century Olav's church. Here you can also see a gravesite from a medieval graveyard which was uncovered during construction of the library.

SPORTS TOWN
something for everyone, year-round

*I*drettsutøvere fra Trondheim har opp gjennom årene markert seg godt både nasjonalt og internasjonalt på de fleste områder innen idretten. Foruten å ha to fotballag i elitedivisjonen, er Trondheim håndballbyen fremfor noen. På det meste har byen hatt opptil fire lag i kvinnenes 1. divisjon i håndball.

"Å Rosenborg! Å Rosenborg! E` Trondhjæms fotballag".

Det er ingen tvil, Rosenborg er laget, og Lerkendal er stadion, for de fleste fotballinteresserte trondhjemmere. I løpet av de siste ti-årene har Rosenborg Ballklubb nærmest blitt grossist både i Norges- mesterskap og Cup-mesterskap.

*A*thletes from Trondheim have down through the years been successful both nationally and internationally in most athletic areas. In addition to having two top-class professional football (soccer) teams, Trondheim is first and foremost a handball town. At the most, the city has had up to four teams in the women's top division in handball.

"O Rosenborg! O Rosenborg! Is Trondheim's football team".

There's no doubt: Rosenborg is the team and Lerkendal is the arena for all football fans in Trondheim. In the last ten years, Rosenborg Ballklubb has practically become a wholesaler of Norwegian championship and Cup championship titles.

Trondheim er tildelt VM på ski, nordiske grener i jubileumsåret 1997. I Granåsen bygges det opp et helt nytt skianlegg for hopp og langrenn. Trondheim har mye å forsvare under sitt hjemlige VM . I VM på ski i Thunder Bay i Canada i 1995 ble trondheimsgutten Tommy Ingebriktsen (til v.) verdensmester i hopp, stor bakke.

Trondheim has been awarded the Nordic Skiing World Championships in the anniversary year 1997. At Granåsen, a new skiing stadium is being built for ski jumping and cross country events. Trondheim has at least one title to defend during their hosting of the world championships: At the world championships in Thunder Bay in Canada in 1995, the young Tommy Ingebriktsen (from Trondheim, of course) became world champion in the K120 ski jumping event.

Trondheim har lange tradisjoner når det gjelder ski og skiidrett. Allerede på 1850-tallet var det stor skiaktivitet i Bymarka. I 1892 satte trondhjemmeren Gustav Bye verdensrekord med et skihopp på 30 meter i Blybergbakken.

Under de tidligere tradisjonsrike hopp-rennene i Gråkallbakken ved Skistua kunne opptil 25 000 være samlet på sletta.

Vassfjellet skisenter, 25 kilometer fra Trondheim sentrum, er et moderne skianlegg for slalåm og telemarkskjøring.

Anlegget har tilsammen fire skitrekk og seks nedfarter av ulik vanskelighetsgrad. Ved Vassfjellet skisenter planlegges et nasjonalt senter for telemarkskjøring.

Historically, Trondheim has been a powerhouse in the field of ski sports. Already in the 1850s, there was considerable skiing activity in Bymarka. As early as 1892, the Trondheim ski jumper Gustav Bye set a world record (30-metres) at the Blybergbakken ski jumping arena.

During the former traditional ski jumping competitions in Gråkallbakken near Skistua, up to 25 000 spectators attended the event.

Vassfjellet Skiing Centre, 25 km. from downtown Trondheim, is a modern skiing facility for Downhill and Telemark skiing.

In all, the facility has four ski lifts and six pistes of varying levels of difficulty. Work is now being carried out to make the Vassfjellet resort into a national centre for Telemark skiing.

Årlig går gateløpet "Olavstafetten" av stabelen i byen, og i juni
hvert år starter sykkelrittet mellom Trondheim og Oslo,
"Den store styrkeprøven", fra Munkegata. I det 500 kilometer
lange rittet deltar årlig mellom fire og fem tusen syklister.

Trondheim kan også friste golf-entusiaster med Midnight Golf
på Sommerseter golfbane i Bymarka, og i Nidarøhallen spiller
Norges topplag i kvinnehåndball for fulle tribuner.

*The "Olav relay" is an annual event in the city, and every year in June
the bicycle competition called "The test of strength" is held between
Trondheim and Oslo. Up to five thousand bicyclists participate in the
marathon bicycle race.*

*Trondheim can also offer golf enthusiasts "Midnight Golf" at
Sommerseter golf course in Bymarka. And Nidarø Athletic Hall is
where Norway's top women's handball team plays for full houses.*

NIDELVEN
stille og vakker du er...

NIDELVEN
river of relevance

*D*et finnes knapt en elv i Norge
som det har vært diktet så mange
sanger om som Nidelva. På sin 35
– 40 kilometer lange vei fra
Selbusjøen til Trondheims-
fjorden, skifter Nidelva karakter i
takt med landskapet den renner
gjennom. Med kaskader av vann-
masser kaster den seg frådende
utfor Leirfossene i vårflommen.
Nærmere byen avtar villskapen
gradvis, til den roer seg helt og
bukter seg dovent som et sølv-
bånd gjennom byen og tømmer
seg i fjorden.

*T*here is hardly a river in Norway
which has been the subject of as
many songs as Nidelva.
On its 35-40 kilometre long treck
from Selbusjøen to Trondheim
fjord, the river changes character
in tact with the landscape it crosses.
Cascades of water charge over and
down the frothing Leirfossen Falls
in the spring; on its approach to
town, the untamed ferocity calms
gradually, until it peacefully winds
its way lazily as a silver bracelet
through the city, ultimately
emptying itself into the fjord.

Nidelva har godt ry som lakseelv, og er kjent blant sportsfiskere langt utover landets grenser. Selv om Nidelva er en kort lakseelv på bare 8,5 kilometer, er laksestammen i elva uvanlig storvokst. Og hvor ellers er det mulig å fiske laks midt i en storby?

Nidelva river has an international reputation as an excellent river for salmon fishing. Even if Nidelva is a short salmon river, only 8.5 km long, the salmon stock in the river is unusually large. And where else is it possible to fish salmon in the middle of a major city?

Nedre Leirfoss, den nederste kraftstasjonen i Nidelva, er et storslagent syn i vårflommen.

Lower Leirfoss falls, the lower power station at Nidelva, is a magnificent sight during the autumn flood.

Leirfosshølen er en attraktiv fiskeplass. Her er det bygd opp en spesiell fiskerampe for funksjonshemmede.

Tor Hansen er Nidelvas stor-fisker og "Laksekonge". I løpet av de siste ti årene har han tatt bortimot 20 lakser på over 20 kilo. Den aller største ble tatt i juli i 1977 og veide ikke mindre enn 26,1 kilo. Her den stolte fisker med en rugg på 24 kg., tatt på Valøya i juli1994.

Leirfosshølen is an attractive fishing site. A special ramp has been built for disabled persons.

Tor Hansen is Nidelva's "king of the salmon fishermen". In the course of the last ten years, he has caught about 20 salmon in excess of 20 kilos each. The largest was hooked in July 1977 and weighed 26.1 kilos. Here is the proud owner of a 24-kilo salmon taken on Valøya island in July 1994.

91

Nidelva er mer enn laksefiske.
Landskapet langs elvebredden er et av
Trondheims mest brukte frilufts-
områder.

Servering på en flåte ute i elva kan være
en trivelig opplevelse en godværsdag.

*Nidelva is more than salmon fishing.
The landscape along the banks of the river
is one of Trondheim's most popular out-
door areas.*

*Having a bite to eat or a pint to drink on
the bank of the river can be well worth
your time on a sunny summer's day.*

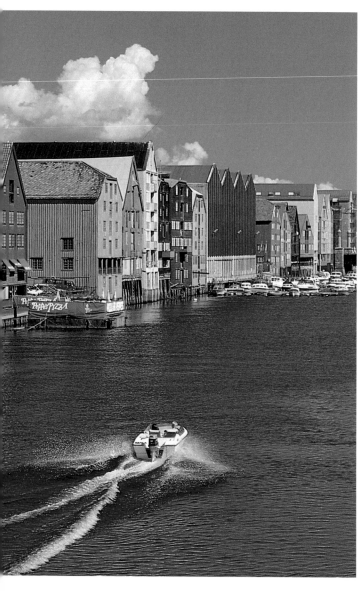

Fuglelivet er svært rikt langs Nidelva, og mating av ender, som her fra Nidarø, er noe både barn og voksne setter pris på.

There is an abundance of bird life along Nidelva river, and feeding ducks, as here at Nidarø, is something both children and adults enjoy.

Gjennom mer enn tusen år har Nidelva vært et grunnleggende naturelement for bosetting, handel og industri – og i moderne tid – ikke minst fritid og natur-opplevelse for Trondheims befolkning.

For more than a thousand years, Nidelva has been the basic natural element affecting settlement, trade and industry in Trondheim, and in modern times, encouraging leisure pursuits and nature experiences for Trondheim's inhabitants.

Det 120 meter høye Tyholt-tårnet på høydedraget øst for byen, er blitt
Trondheims nye landemerke. Tårnet er et viktig ledd i Telenors moderne radio-
og telekommunikasjonssystem. I tårnet, 80 meter over bakken, finnes også
Norges eneste roterende restaurant og utsiktsgalleri.

*The 120-meter-high Tyholt tower on the ridge east of town has become Trondheim's
new landmark. The tower is an important link in Norwegian Telecom's modern radio
and telecommunications system. The tower also houses Norway's only rotating
restaurant and viewpoint.*

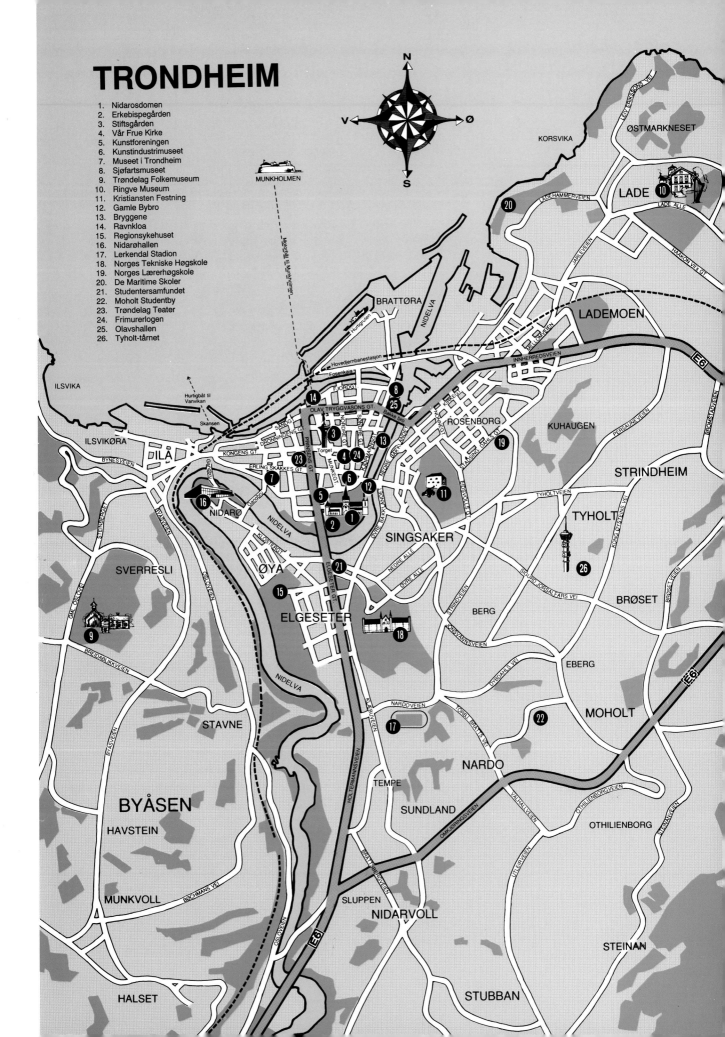

TRONDHEIM

1. Nidarosdomen
2. Erkebispegården
3. Stiftsgården
4. Vår Frue Kirke
5. Kunstforeningen
6. Kunstindustrimuseet
7. Museet i Trondheim
8. Sjøfartsmuseet
9. Trøndelag Folkemuseum
10. Ringve Museum
11. Kristiansten Festning
12. Gamle Bybro
13. Bryggene
14. Ravnkloa
15. Regionsykehuset
16. Nidarøhallen
17. Lerkendal Stadion
18. Norges Tekniske Høgskole
19. Norges Lærerhøgskole
20. De Maritime Skoler
21. Studentersamfundet
22. Moholt Studentby
23. Trøndelag Teater
24. Frimurerlogen
25. Olavshallen
26. Tyholt-tårnet

KILDER/SOURCES:

- Libæk Ivar og Stenersen Øivind, Norges historie, Fra istid til oljealder, Grøndahl, 1991.
- Søraa, Gerd, Bygd og by i Norge, Trøndelag, Gyldendal Norsk Forlag, 1976.
- Hvem, Hva, Hvor, Chr. Schibsteds Forlag, 1989.
- Svein Nic. Norberg, Katter og Hermelin, Glimt fra Hjorten og
  Trondhjems underholdningsliv gjennom 100 år, Bjærum Forlag 1987.
- Kirkhusmo, Anders, Trondheim i 1000 år, F. Bruns Forlag, 1972.
- Linden Hans-Emil, Anker Peter, Wichstrøm Anne, Hoffmann Marta,
  Nordhagen Per Jonas, Norges kunsthistorie, bind 2, Gyldendal Norsk Forlag, 1981.
- Støren, Wilhelm K., Minneboken om Trondheim, Ødegaards forlag 1956.
- Østraat, Bjørn, Trondheim - byen ved Nidelva, Aune Forlag 1985.
- Støren, Wilhelm K., Sted og navn i Trondheim, eget forlag 1983.
- Bø, Olav, Folkeviser, bind 2, Det Norske Samlaget, 1977.
- Trondheim bys historie, bind I - V, Trondheim 1958.
- Snorre Sturlassons Kongesagaer.
- Statsarkivet i Trondheim

HOVEDFOTOGRAF/
MAIN PHOTOGRAPHER:

Ole Petter Rørvik, s.4-5, 6, 8-9, 10v, 13n, 17n, 18-19, 20v, 20-21ø, 21, 22-23, 24-25ø, 24n, 25m, 25n, 26, 27, 28, 29, 30-31, 32øv, 32n, 33, 34-35, 36-37, 38-39, 40v, 40-41n, 42m, 42n, 43h, 43n, 44-45n, 45, 46-47, 48, 48-49ø, 50-51, 52, 53, 56-57, 59n, 61ø, 65, 70, 70-71, 73, 78ø, 78n, 81n, 88-89, 90øh, 90n, 91ø, 92-93, 94. + cover.

ANDRE FOTOGRAFER/
CONTRIBUTING PHOTOGRAPHERS:

Morten Antonsen, Adresseavisen; s.84m, 86, 87n. Kari Støren Binns (tegning); s.11ø.
Giulio Bolognesi, Aune Forlag; s.10n, 76m. Sigmund Brevik; s.20-21n.
British Museum; s.12nh. Kolbjørn Dekkerhus, Aune Forlag; s.30, 31, 60, 64ø, 77m, 78m, 81ø, 92nv. Andreas Dybvik; s.84nv. Per M. Falk; s.68n. Per Fredriksen; s.70-71n, 81m.
Otto Frengen; s.93ø. Steinar Fugelsøy, Adresseavisen; s.82-83. Håkon Grønning; s.16ø, 40ø, 41ø, 41h, 72ø. Jon Helle; s.67n, 93h. Gunnfrid Holan; s.42-43ø. Einar Hugnes; s.68ø, 69m, 84nh.
Bjørn Johansen, Marintek; s.54nh. Geir Johansen; s.63. Anne Britt Kilvik, Adresseavisen; s.11nv, 91nh. Øystein Lie, Adresseavisen; s.87ø. Mittet Foto; s.86øh. Leif Knutseth, Adresseavisen; s.62nv. Kunstforeningen; s.80ø. Torbjørn Moen; s.16n, 42øv, 55n, 66-67, 69n, 72m, 79ø, 79øh, 92ø. Einar Kristengård, Adresseavisen; s.55øv. Nationalmuseet, København; s.12nm. Ragnar Ness; s.44ø. Nidarosdomens guttekor; s.62nh. Nidaros Domkirkes Restaureringsarb.; s.59øv, 61n, 64n.
Svein Nic. Norberg; s. 25ø, 55øh, 62ø, 72n. Jette Pedersen, Nordenfjeldske Kunstindustri-museum; s.80n. Terje O. Nordvik; s.59øh, 68v, 68m, 69ø. Arne O. Nordtømme; s.80-81n.
NTH info, Roar Øhlander; s.54v, 54nm. Olavshallen, Roar Øhlander; s.76n. Kjell A. Olsen, Adresseavisen; s.76ø. Postverket (frimerket); s.17øh. Riksantikvaren, Edvin Baker; s.11nh.
ScanFoto; s.11øv. Foto Schrøder; s.85ø. Sintef; s.54ø, 54nø. Statsbygg; s.77n. Jon Arne Sæter; s.37mh, 36mh, 71ø. Jens Søraa, Adresseavisen; s.74-75. Nils Toldnes, Adresseavisen; s.80-81.
Elling Alsvik, Trøndelag Folkemuseum; s.79n, 79nh. Universitetsbiblioteket; s.58.
Victoria and Albert Museum, London; s.12v. Arnfinn Weiseth; s.90øv, 91nv. Roar Øhlander; s.77ø. Bjørn Østraat, Aune Forlag; s.32m, 49n. Trond Aalde; s.71nh, 85m, 85n. Roger Aasbak, Adresseavisen (tegning); s.84-85.